致 我的父母

我们和好吧

[德] 萨拉·埃曼努埃拉·布尔格 文/图

康萍萍 译

新世界出版社
NEW WORLD PRESS

"今天是多么美好的一天啊！"小乌鸦奥斯卡心情愉快地说，"我出去散散步吧。"

　　奥斯卡走着走着，在离家不远的地方，碰见了小兔子卡洛特。卡洛特是他的好朋友。

　　卡洛特唉声叹气地说："今天是多么糟糕的一天啊！"

　　"为什么这么说呀？"奥斯卡惊奇地问，"我们一起玩吧？"

　　可是卡洛特一点儿都提不起兴趣，坐在一边哭了起来："呜呜呜……"

"你到底怎么啦？"奥斯卡问，"为什么这么难过啊？"
"嗯……"卡洛特吸了吸鼻子，抹掉一滴眼泪，"是因为爸爸和妈妈。"

"妈妈凶巴巴地骂人，"卡洛特开口讲道，"然后，爸爸就生气了。后来，妈妈的脾气越来越大，还大喊大叫。到最后，爸爸狠狠地摔了一下门，干脆一走了之。"

"忽然一下子，家里变得安静极了。
我觉得爸爸妈妈不再相爱了，他们好像也
不再爱我了。"

　　奥斯卡认真地听卡洛特把心事讲完。"别伤心了，"他试着安慰说，"在我家也是这样的。爸爸妈妈有时候也会吵几句嘴，好多时候我都不明白他们究竟是为了什么，就争吵起来了。"

　　"可是奶奶告诉我说，这没什么大不了的，大人们都是这样的，让我别担心。跟我来，卡洛特！"奥斯卡说，"我们去玩吧。你最好忘了这一切。"

奥斯卡用树枝在地上画出四四方方的格子，说："我们来玩跳房子游戏吧？"卡洛特马上兴奋起来，一蹦三丈高，大声地说："太好啦！你看，我跳得多好！"

　　的确，要说到跳，卡洛特可以称得上是世界冠军水平了。他们俩玩得很开心。可是，过了一会儿……

……奥斯卡突然不跳格子了，他飞起来啦，扑扇着翅膀从一个格子飞到另一个格子。

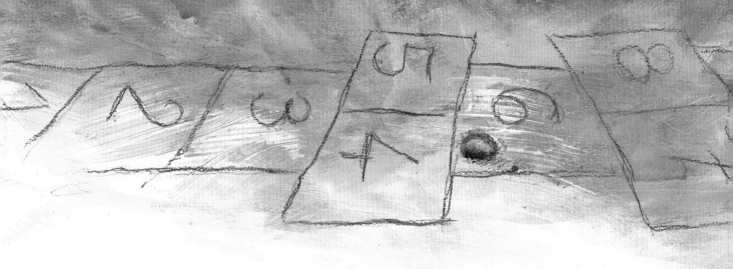

"你太赖皮了！"卡洛特嘟嘟囔囔，"你要是再耍赖，我就不跟你玩了！"
　　奥斯卡和卡洛特争吵了起来。卡洛特生气了，她绷着个脸。奥斯卡也不知道该怎么办了。"别生气了，"奥斯卡央求着卡洛特，"我真的很想和你一起玩儿。"

可是卡洛特还是不理他。于是奥斯卡就在周围转来转去，好像在寻找着什么。

"卡洛特，你快看，我为你找到了什么！"奥斯卡叫道，"我找到了这片草地上最美的四叶草！"

　　卡洛特看着四叶草，她想到了爸爸妈妈。她多么想告诉爸爸妈妈自己是多么爱他们，但是她也想告诉爸爸妈妈，她有多么不喜欢他们吵架。可是该怎么办呢？

　　奥斯卡想到一个好点子。他狡黠地微微笑了一笑，出主意说："那就给他们带份礼物吧。一束花送给爸爸，一束花送给妈妈！"

　　卡洛特高兴得叫起来："这真是个好主意！"现在她想马上跑回家，用最快的速度。

卡洛特家里安静极了，根本听不见吵架的声音，反而能闻见香喷喷的气味，这是蒲公英汤的味道。

卡洛特小心翼翼地问："爸爸妈妈，你们不吵架了吗？"

兔子爸爸和兔子妈妈互相看了看，眨了眨眼。他们异口同声："我们吵架了吗？"

卡洛特叹了口气："你们怎么可以这样！"

兔子爸爸充满爱意地把卡洛特抱在怀里。"别害怕，我的小不点儿。知道吗，所有的爸爸妈妈都会偶尔吵架拌嘴的。不要为这个烦恼，爸爸妈妈争吵几句，并不代表不爱孩子呀。"

　　兔子爸爸看着卡洛特和奥斯卡，微微一笑，问道："那你们呢？你们就没有吵过架吗？"奥斯卡和卡洛特不好意思地互相瞅着。奥斯卡非常严肃地说："我们俩吵架？绝对不可能！"说完，这两个好朋友不约而同地哈哈大笑起来。

现在卡洛特的烦恼没有了。兔子爸爸、兔子妈妈依然相爱，他们也爱卡洛特，以后也会一直爱她。

奥斯卡高兴地对卡洛特说："看吧，今天真的是非常美好的一天！"

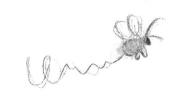

OSKAR UND KAROTTE - KOPF HOCH, KLEINER HASE!

by Burg Sarah Emmanuelle

© 2010 NordSüd Verlag AG, CH-8005 Zurich 7 Switzerland

图书在版编目（CIP）数据

我爱我家. 3，我们和好吧/（德）布尔格等著；康萍萍译. — 北京：新世界出版社，2011.11

ISBN 978-7-5104-2289-8

Ⅰ. ①我… Ⅱ. ①布… ②康… Ⅲ. ①故事课—学前教育—教学参考资料 Ⅳ. ①G613.3

中国版本图书馆CIP数据核字(2011)第209068号

我爱我家——我们和好吧　　[德]萨拉·埃曼努埃拉·布尔格 文/图　　康萍萍 译

策　　划	小萌童书	微博网址	http://t.sina.com.cn/xmbooks
执行策划	谭　萌	印　　刷	环球印刷（北京）有限公司
责任编辑	杨雪春 申 玮	经　　销	全国新华书店
版式设计	申　玮	开　　本	889mm×1194mm　1/16
责任印制	冯宏霞	印　　张	8
出版发行	新世界出版社	版　　次	2011年12月第1版
社　　址	北京市西城区百万庄大街24号（100037）	印　　次	2011年12月第1次印刷
电　　话	010-68646372（编辑部）	书　　号	ISBN 978-7-5104-2289-8
	010-68995968（发行部）	定　　价	51.20元（全四册）